TREASURE

TREASURE

✴

THE FIRST STEP :

TREASURE
✦✦✦

6

CHAPTER ✳ THREE

TREASURE
THE FIRST STEP:

14

✳

THE FIRST STEP:

TREASURE
✦✦✦

TREASURE

THE FIRST STEP:

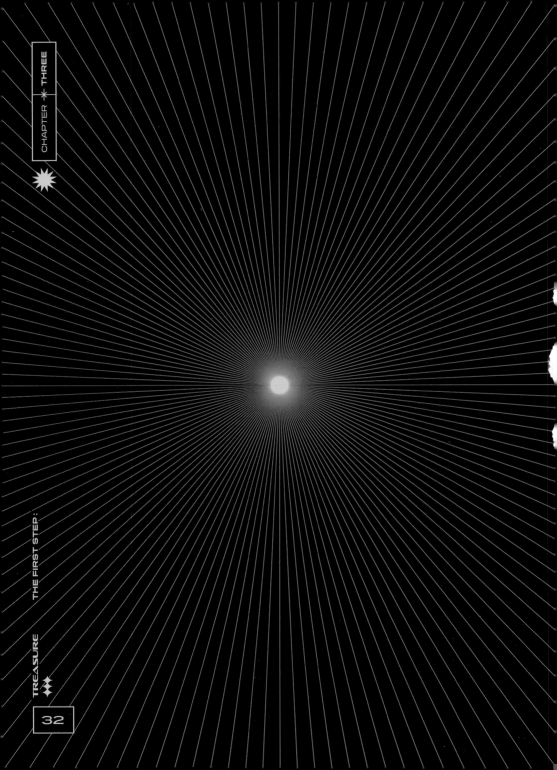

TREASURE

THE FIRST STEP:

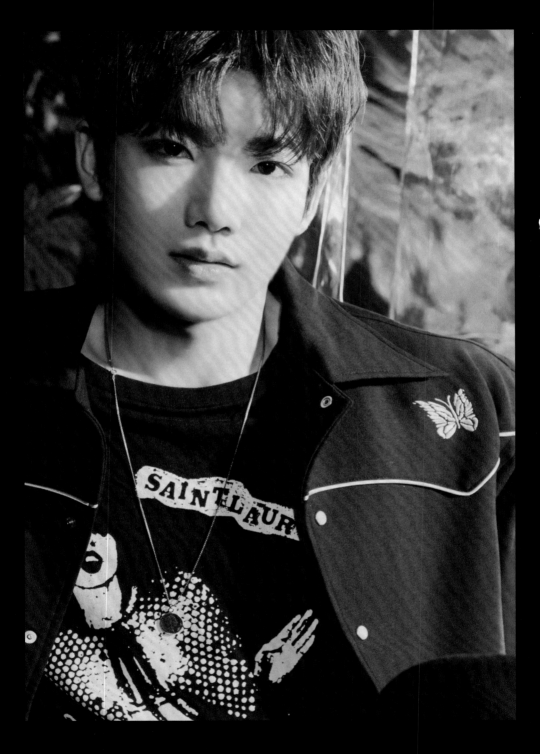

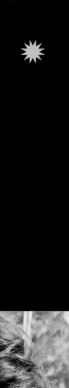

CHAPTER ✳ THREE

✳

THE FIRST STEP:

TREASURE
◆◆◆

40

✸

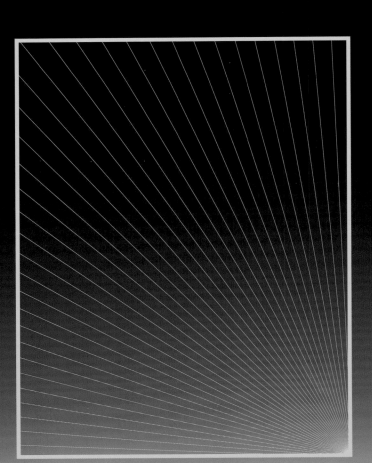

CHOI HYUN SUK

JIHOON

YOSHI

JUNKYU

MASHIHO

YOON JAE HYUK

ASAHI

BANG YE DAM

DOYOUNG

HARUTO

PARK JEONG WOO

SO JUNG HWAN

TREASURE

THE FIRST STEP : CHAPTER THREE

TRACKLIST

1 을 Mmm (TITLE*) ⚡ 2 오렌지 ORANGE

3 을 Mmm (Inst.) 4 오렌지 ORANGE (Inst.)

TREASURE
3rd SINGLE ALBUM
THE FIRST STEP :
CHAPTER THREE

℗&© 2020 YG ENTERTAINMENT
INC. 2020.11. DISTRIBUTED BY
YG PLUS, INC. KOREA.

YGP0049 | BARCODE NO.
8809634380500

3rd SINGLE ALBUM

Lyrics by GODOK
RAP by CHOI HYUN SUK, HARUTO, YOSHI

Composed by FUTURE BOUNCE, AFTRSHOK, Czaer, Awry, Jan Baars, Nathan Lewis, Brian U

Arranged by FUTURE BOUNCE, AFTRSHOK, Czaer

1 음 (Mmm)

Mmm Mmm Mmm / Let me treasure you, treasure you, treasure you
깜짝이야: / 너를 보면 입이 벌어져 할짝 / 눈부신 빛에 눈이 멀어 팔짝 / 또 내 생각을 하고 있지 매일 밤 / 전국이 향기를 맡아 넘어올라
모든 게 완벽한 오늘이 바로 D-day / 둘만의 비밀을 만들어보자 My babe / 자연스레 난 널 리드하는 리더가 돼
사실은 날 보면 혈라 / 긴장해 날 곁에 버리게 만드는 메두사
너만 보면 놀라 긴탄해 / 너의 곁으로 어디든 달려가 / Runnin' runnin'
그래 나야: 나야! / 계약을 필요 없잖아 내 손 잡아 / 무조건 날 믿어 You know what I'm sayin' / 그래 지금 그 눈빛으로 / 나를 쳐다볼 때
타질 것 같아 너 때매 Mmm / 지금 내 심장이 Mmm / 미친 것 같아 Mmm / Let me treasure you, treasure you
타질 것 같아 너 때매 Mmm / 위험해 지금 Mmm / 비상사태 Mmm / Let me treasure you, treasure you
타질 것 같아 너 때매

널 좀 더 원해 애원해 Want some more / Yeah 넌 내 무릎이 땅에 닿게 만들어 우얼해 / 이 한 몸 바치고픈 여왕이야
넌 마치 영자 같아 쿨타 마인 필요 없지 / 약 소리가 나와 그 않는 검정 불가
너만 보면 놀라 긴탄해 / 너의 곁으로 어디든 달려가 / Runnin' runnin' runnin'
그래 나야: 나야! / 계약을 필요 없잖아 내 손 잡아 / 무조건 날 믿어 You know what I'm sayin' / 그래 지금 그 눈빛으로 / 나를 쳐다볼 때
타질 것 같아 너 때매 Mmm / 지금 내 심장이 Mmm / 미친 것 같아 Mmm / Let me treasure you, treasure you
타질 것 같아 너 때매 Mmm / 위험해 지금 Mmm / 비상사태 Mmm / Let me treasure you, treasure you
너의 그 미소로 내 같은 한숨을 날려줘 / 지금 이 느낌이 저 하늘에 닿을 때까지
조금 더 높은 곳 구름 위를 걷고 싶어 / 너를 볼 때마다 품에서 깨고 싶지 않아
다른 여잔 쳐다도 안 봐 난 / 내겐 오직 여잔 너 하나야 / 붉고붉은 타오르는 내 맘 / 너만 보면 내 심장이 / 파파 파파파 파파 파파파 FIRE
내겐 오직 여잔 너 하나야 / 붉고붉은 타오르는 내 맘 / 너만 보면 내 심장이 / 파파 파파파 파파 파파파 FIRE

2 오렌지 (ORANGE)

난 1분 1초라도 더 빨리 너를 보고픈데 / 넌 항상 바쁘대 그래서 우린 또 한정된 시간을 보내
행복한 시간은 금방 가 너무 아쉽지만 / 난 그래도 좋아 우리 사이엔 그게 더 좋아
난 너와 많은 이야기를 하다가 / 시계를 보고 갑자기 당황스러워져
지금 너를 집에 보내기 싫어 / 하지만 그럴 수는 없어서
오늘도 오렌지로 물들어가는 너를 여전히 난
아쉬워하면서 집에 돌아갈 것 같아 / 나는 더 너와 함께 하고 싶은데
해가 저도 기다리면 다시 뜨듯이 / 내일도 보고파
난 슬퍼하면서 집에 돌아갈 것 같아 / 아쉽게 오늘도 노을이 보이기 시작했다
오렌지빛이 나 시원한 바람 / 거리를 좁혀 난 손을 잡아본다
의미 없는 말들을 던져봐도 / 넌 긴장 했는지 날 쳐다보지 않아
어두워지기 시작하면 / 내 표정도 어두워지잖아 / 네가 돌아서기 전에 / 오늘은 말해야겠다 싶어
조건 없이 매일 빛나주는 저 노을처럼 / 너도 항상 그렇게 매일 웃어 주길 바라
그럼 널 평생 간직할 수 있으니까 / 어두워도 내 눈엔 네가 가장 빛이 나니까
난 너와 많은 이야기를 하다가 / 시계를 보고 갑자기 당황스러워져
지금 너를 집에 보내기 싫어 / 하지만 그럴 수는 없어서
오늘도 오렌지로 물들어가는 너를 여전히 난
아쉬워하면서 집에 돌아갈 것 같아 / 나는 더 너와 함께 하고 싶은데
해가 저도 기다리면 다시 뜨듯이 / 내일도 보고파
난 슬퍼하면서 집에 돌아갈 것 같아 / 아쉽게 오늘도 노을이 보이기 시작했다
시간이 멈춰 이대로 / 해가 안 졌음 해
너만은 웃어줘 내가 / 행복하게 집에 갈 수 있게
저 빛나는 노을도 미안해하잖아 / 먼저 가 나도 웃으며 너를 보낼게
오늘도 오렌지로 물들어가는 너를 여전히 난
아쉬워하면서 집에 돌아갈 것 같아 / 나는 더 너와 함께 하고 싶은데
해가 저도 기다리면 다시 뜨듯이 / 내일도 보고파
난 슬퍼하면서 집에 돌아갈 것 같아 / 아쉽게 오늘도 노을이 보이기 시작했다

Lyrics by ASAHI, HARUTO
RAP by CHOI HYUN SUK, YOSHI — Composed by ASAHI, FUTURE BOUNCE — Arranged by FUTURE BOUNCE

✳

✳

✳

✳

THE FIRST STEP:

EXIT

TREASURE

91

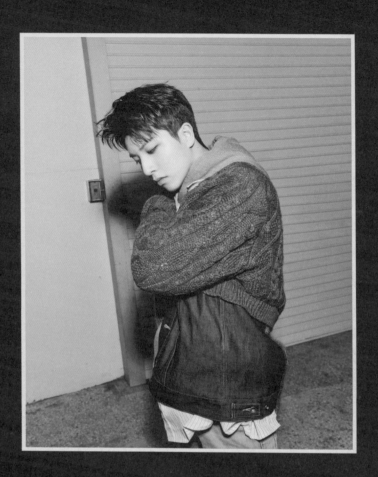

✳

✴

TREASURE

THE FIRST STEP:

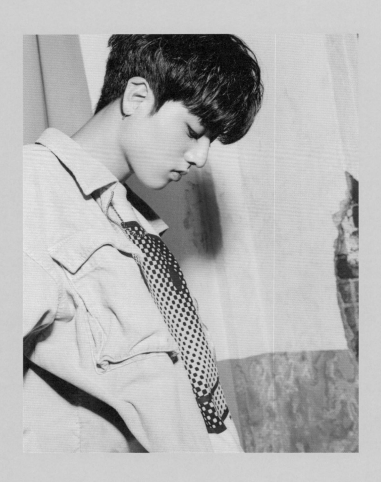

Mmm Mmm Mmm
Let me treasure you,
treasure you,
treasure you

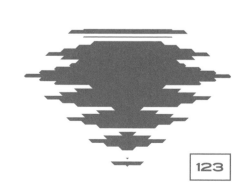

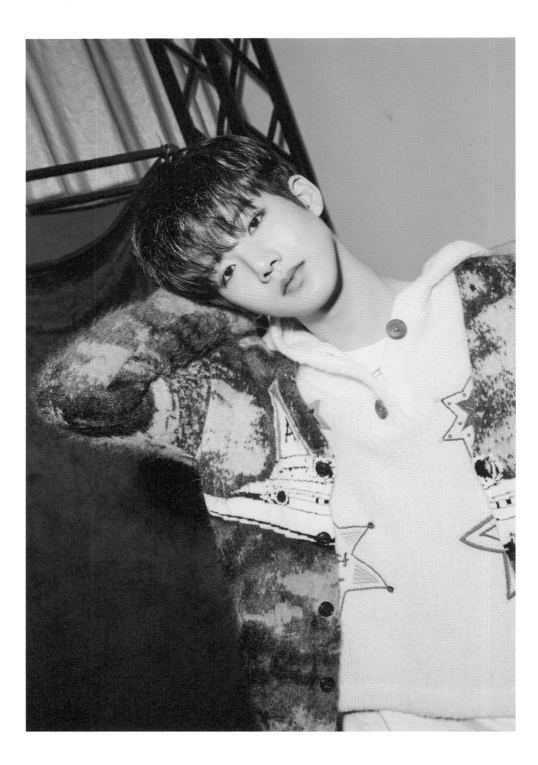

✳

✸

CREDIT

ARTIST
TREASURE

EXECUTIVE PRODUCER
YG ENTERTAINMENT

RECORDING STUDIO
YG STUDIO

MIXING ENGINEER
JASON ROBERT
@ THELAB,
LOS ANGELES

MASTERED BY
STERLING SOUND,
NYC

HEAD LEADER OF PRODUCTION
YI BO YOUNG

RECORDING ENGINEER
LEE KYUNG JOON
SHIN SUNG KWON
LEE BO RYEONG
KIM HYUN JOO
LEE JI HOON
BANG DAE HYUNG
NAM JUNG WOO

PUBLISHING
KIM YOON JEONG
PARK SU JI
KIM JEONG HOON

A&R
BAE MIN KYUNG
CHAE JUNG SUN
SHIM GYU MIN
KIM JI SOO
BAEK SEUNG EUN
JIN ISEUL
SONG JI HYUN

ARTIST STRATEGY
HWANG SOON MO
KIM HANA
BYEON JI YOUNG
KANG JI YEON
JUNG ANNA
KIM SHINIL
WON MEENSEO
YANG MINJI

VISUAL
CHOE JAE HYUN
CHOI HYUNG SEO
KIM A RA
ROH JAE HOON
SEO BIN

FAN MARKETING
BANG MI RAN
JANG MIN YOUNG
KIM MIN ZY
PARK SOON OK
YOON SAE HA

DESIGN
JEONG HYO JIN
YOOK SUNG MIN
KIM DA YEON
LEE MIN KYU
MOON HEE WON
AHN JOONG CHAN
PARK ISLNAE
LEE MIN JI

PHOTOGRAPH
CHAE DAE HAN

STYLIST
HONG WON HO
@ H STYLE

HAIR
LIM JUNG HO
KIM BYUNG WOO
@ BLOW

MAKE UP
HONG YOUNGHO
LEE HOJEONG
@ RED HONG

CHIEF MEDIA STRATEGY OFFICER
LEE KYUNG HEE

CHIEF ARTIST MANAGEMENT OFFICER
PARK HEON PYO

ARTIST MANAGEMENT
KIM JUNG KEUN
SON JI HOON
KIM KYUNG RAE
KIM NAM HONG
YI HYEONG RAE
AHN JI HWAN
KANG SIN UK

CHIEF CONTENTS OFFICER
OH DONG WON

PHOTO
SHIN SUN JAE
UHM MI JUNG
HYUN YE JIN

VIDEO CONTENTS
KIM HYE YEON
CHOI MIN HYE
HONG SEONG JUN
KIM JEONG A
MOON HEE WOONG
LEE MIN SEO
PARK KI WOONG

CHIEF OPERATING OFFICER
CHOI SUNG JUN

MUSIC BUSINESS
KANG SEON YOUNG
CHOI EUN YU
JUNG YU JIN
CHO JAE KYUNG
KIM SE EUN
BAEK GAHEE
YOO JIN
O JI SOO

CHIEF INNOVATION OFFICER
KAH JONG HYUN

CHIEF EXECUTIVE OFFICER
HWANG BO KYUNG

OFFICIAL WEBSITE
WWW.YG-TREASURE.COM

OFFICIAL YOUTUBE
WWW.YOUTUBE.COM/OfficialTreasure

OFFICIAL FACEBOOK
WWW.FACEBOOK.COM/OfficialTreasure